Sapo y Sepo todo el año

por Arnold Lobel

SCHOLASTIC INC.

New York Toronto London Auckland Sydney
Mexico City New Delhi Hong Kong Buenos Aires

A James Marshall

Originally published in English as *Frog and Toad All Year*.

Translated by Nuria Molinero.

ISBN 0-439-33328-8

10 9 8 7 6 5   07 08 09 10 11 12/0

Printed in the United States   23

First Scholastic Spanish printing, January 2002

Contenido

Colina abajo

Sapo llamó a la puerta de Sepo.
—¡Sepo, despierta! —gritó—.
¡Sal y mira qué lindo es el invierno!

—No saldré —respondió Sepo—.
Estoy calentito en la cama.

—El invierno es increíble
—dijo Sapo—. Sal y
nos divertiremos.

—¡Bah! —dijo Sepo—.
No tengo ropa de invierno.

Sapo entró en la casa.

—Sepo, te traje algo
de ropa —dijo.

Sapo le puso a
Sepo un abrigo.
Sapo le puso unos
pantalones para la nieve.

Le colocó una bufanda
y un sombrero.

—¡Socorro! —gritó Sepo—.
¡Mi mejor amigo
quiere matarme!

—Solamente te estoy preparando
para el invierno —respondió Sapo.

Sapo y Sepo salieron caminando
pesadamente por la nieve.

—Bajaremos en mi
trineo por esta colina
—dijo Sapo.

—Yo, no —dijo Sepo.

—No tengas miedo —dijo Sapo—.
Yo iré contigo en el trineo.
Bajaremos rápidamente
y sin problemas.
Sepo, tú siéntate adelante.
Yo me sentaré atrás.

El trineo empezó a
deslizarse por la colina.
　—¡Allá vamos!
—dijo Sapo.

Había un bache en la nieve.

Sapo se cayó del trineo.

Sepo pasó árboles y rocas a toda
velocidad.

—Sapo, me alegro de que
estés aquí —dijo Sepo.

Sepo saltó sobre un
banco de nieve.

—Sapo, sin ti no podría manejar
el trineo —dijo—. Tenías razón.
¡El invierno es muy divertido!

Un cuervo volaba cerca.

—¡Hola, Cuervo! —gritó Sepo—.
Míranos a Sapo y a mí.
¡Manejamos el trineo mejor
que nadie en el mundo!

—Pero Sepo —dijo Cuervo—,
tú estás solo en el trineo.

Sepo miró hacia atrás.
Vio que Sapo no estaba.
—¡ESTOY SOLO!
—gritó Sepo.

¡Bang!
El trineo chocó contra
un árbol.

¡Zas!
El trineo chocó contra
una roca.

¡Plof!
El trineo se hundió
en la nieve.

Sapo bajó corriendo por la colina.
Sacó a Sepo de la nieve.

—Lo vi todo —dijo Sapo—.
Lo hiciste muy bien tú solo.

—No es verdad —dijo Sepo—.
Pero hay algo que sí
puedo hacer solo.

—¿Qué? —preguntó Sapo.

—Irme a casa —dijo Sepo—.
El invierno es lindo, pero mi
cama es mucho mejor.

La esquina

A Sapo y Sepo
los pescó la lluvia.
Corrieron a casa de Sapo.
—Estoy empapado —dijo
Sepo—. El día se ha estropeado.

—Tomemos té con pastel
—dijo Sapo—. La lluvia parará.
Si te acercas a la estufa,
se te secará la ropa enseguida.

—Mientras esperamos, te contaré
un cuento —dijo Sapo.

—Muy bien —dijo Sepo.

—Cuando era chico,
no más grande que un renacuajo
—dijo Sapo—, mi papá me
dijo: "Hijo, hoy es un día
gris y frío, pero la
primavera está a la
vuelta de la esquina".

Como yo quería que llegara
la primavera, salí
a buscar esa esquina.
Caminé por el bosque hasta
que llegué a una esquina.
Fui a la vuelta de esa esquina
para ver si la primavera estaba allí.

—¿Y estaba? —preguntó Sepo.

—No —respondió Sapo—.
Solamente había un pino,
tres piedras pequeñas
y un poco de hierba seca.

—Caminé por
la pradera.
Enseguida llegué a
otra esquina.
Fui a la vuelta de esa esquina
para ver si la primavera estaba allí.

—¿La encontraste? —preguntó
Sepo.

—No —dijo Sapo—. Solamente
había un viejo gusano
dormido sobre un
tronco cortado.

—Caminé a la orilla del río
hasta que llegué
a otra esquina.
Fui a la vuelta de esa esquina
para buscar la primavera.

—¿Estaba allí? —preguntó Sepo.

—No —dijo Sapo—.
Solamente había barro
y un lagarto que
perseguía su cola.

—Estarías cansado
—dijo Sepo.

—Estaba cansado
—dijo Sapo—, y
empezó a llover.

—Volví a casa. Cuando
llegué —dijo Sapo—,
encontré otra esquina.
Era la esquina de mi casa.

—¿Fuiste a la vuelta de esa
esquina? —preguntó Sepo.

—También fui a la vuelta de esa
esquina —dijo Sapo.

—¿Qué viste?
—preguntó Sepo.

—Vi que salía el sol
—dijo Sapo—. Vi pájaros
cantando posados en un
árbol. Vi a mi mamá y mi
papá trabajando en el jardín.
Vi flores en el jardín.

—¡La encontraste! —gritó Sepo.

—Sí —dijo Sapo—.
Estaba muy contento.
Había encontrado la esquina
detrás de la cual estaba la primavera.

—Mira, Sapo —dijo Sepo—.
Tenías razón.
Ha dejado de llover.
Sapo y Sepo salieron corriendo.

Corrieron hasta la esquina
de la casa de Sapo
para ver si la primavera
había vuelto otra vez.

El helado

Un cálido día de verano, Sapo
y Sepo se sentaron junto a la laguna.
—Me encantaría tomar un helado
dulce y frío —dijo Sapo.

—Qué buena idea —dijo Sepo—.
Espera aquí, Sapo.
Volveré en seguida.
Sepo fue a la tienda.
Compró dos helados enormes.

Sepo chupó uno de los helados.

—A Sapo le gustan los de
chocolate —dijo Sepo—.
Y a mí también.

  Sepo siguió caminando
por el sendero.
Una gota enorme de helado
le resbaló por el brazo.
  —El helado se está
derritiendo con el sol
—dijo Sepo.

Sepo empezó a caminar
más rápido.
Por el aire volaron muchas
gotas de helado derretido y
cayeron sobre la
cabeza de Sepo.
    —¡Tengo que volver
rápido donde está Sapo! —gritó.

El helado seguía
derritiéndose.
Le manchó la
chaqueta a Sepo.
Le salpicó los pantalones
y los pies.

—¿Dónde está el camino?
—gritó Sepo—.
¡No veo nada!

Sapo esperaba a Sepo sentado
junto a la laguna.
Un ratón pasó corriendo a su lado.

—¡Acabo de ver algo horrible!
—gritó el ratón—. ¡Era
grande y de color café!

—¡Viene hacia aquí una cosa
cubierta de ramas y hojas!
—gritó una ardilla.

—¡Se acerca algo con cuernos!
—gritó un conejo—.
¡Huye, ponte a salvo!

—¿Qué será? —se preguntó Sapo.

Sapo se escondió
detrás de una roca.
Vio llegar la cosa.
Era grande y de color café.
Estaba cubierta de ramas y hojas.
Tenía dos cuernos.

—¡Sapo! —gritó la cosa—.
¿Dónde estás?

—¡Dios mío!
—dijo Sapo—.
¡Esa cosa es Sepo!

Sepo se cayó a la laguna.
Se hundió hasta el fondo
y luego salió flotando a la superficie.
—¡Qué pena! —dijo Sepo—.
Nuestros ricos helados
se han derretido en el agua.

937 64 1411

—No importa —dijo Sapo—.
Ya sé lo que podemos hacer.
  Sapo y Sepo corrieron
de nuevo a la tienda.
Luego se sentaron
a la sombra
de un árbol grande
y se tomaron
juntos sus helados
de chocolate.

La sorpresa

Era octubre.
Las hojas se habían
caído de los árboles y
estaban en el suelo.
—Iré a casa de Sepo
—dijo Sapo—.
Recogeré todas las hojas
caídas de su jardín.
Sepo se llevará una sorpresa.

Sapo sacó un rastrillo
del cobertizo.

Sepo miró por la ventana de su casa.

—Estas hojas sucias lo han
cubierto todo —dijo Sepo.
Sacó un rastrillo.

—Correré a casa de Sapo.
Recogeré todas sus hojas.
Sapo se pondrá muy contento.

Sapo corrió por el bosque
para que Sepo no lo viera.

Sepo corrió por la hierba
alta para que Sapo no lo viera.

Sapo llegó a la casa de Sepo.
Miró por la ventana.

—¡Qué bien! —dijo Sapo—.
Sepo ha salido.
Nunca sabrá quién
rastrilló las hojas.

Sepo llegó a la casa de Sapo.
Miró por la ventana.

—¡Qué bien! —dijo Sepo—.
Sapo no está en casa.
Nunca sabrá quién
rastrilló las hojas.

Sapo trabajó mucho.
Hizo un montón con las hojas.
Muy pronto, el jardín de Sepo
estuvo limpio.
Sapo tomó el rastrillo
y se dirigió a su casa.

Sepo rastrilló y rastrilló.
Hizo un montón con las hojas.
Muy pronto no quedó una sola
hoja en el jardín de Sapo.
Sepo tomó su rastrillo
y se fue a su casa.

El viento empezó a soplar.
Sopló por todas partes.
Las hojas de Sepo que Sapo
había rastrillado empezaron
a volar por todas partes.
Las hojas de Sapo que Sepo
había rastrillado empezaron
a volar por todas partes.

Cuando Sapo llegó a su casa, dijo:
—Mañana recogeré las hojas
que hay en mi jardín.
¡Qué sorprendido
debe estar Sepo!

   Cuando Sepo llegó a su casa, dijo:
—Mañana me pondré a trabajar
y rastrillaré mis propias hojas.
¡Qué sorprendido
debe estar Sapo!

Esa noche,
cuando Sapo y Sepo
apagaron la luz para
dormirse, los dos
se sentían muy felices.

Nochebuena

En Nochebuena,
Sepo preparó una gran cena.
Decoró el árbol.

—Sapo llega tarde —dijo Sepo.
Sepo miró su reloj.
Recordó que estaba roto.
Las manecillas no se movían.
Sepo abrió la puerta principal.
Se asomó a la oscuridad.

Sapo no estaba.

—Estoy preocupado
—dijo Sepo.

—¿Y si le ha pasado algo
terrible? —dijo Sepo—.
¿Y si Sapo se ha caído
en un agujero profundo
y no puede salir?
¡Nunca lo volveré a ver!

Sepo abrió la puerta de nuevo.
Sapo no aparecía por el camino.

—¿Y si Sapo se ha
perdido en el bosque?
—dijo Sepo—.
¿Y si está mojado
y tiene frío
y hambre?

—¿Y si a Sapo lo está
persiguiendo un animal
enorme de dientes afilados?
¿Y si se lo ha comido?
—lloró Sepo—.
¡Mi amigo y yo
nunca pasaremos otra
Navidad juntos!

Sepo encontró una cuerda en el sótano.

—Sacaré a Sapo del agujero
con esto —dijo Sepo.

Sepo encontró una linterna en el ático.

—Sapo verá esta luz y le mostrará
el camino para salir del
bosque —dijo Sepo.

  Sepo encontró una
sartén en la cocina.
  —Golpearé al gigantesco
animal con esto —dijo Sepo—.
Se le caerán todos los dientes.
¡Sapo, no te preocupes!
  —gritó Sepo—,
¡ya voy a ayudarte!

Sepo salió corriendo
de su casa.

Allí estaba Sapo.

—Hola, Sepo —dijo—.
Siento llegar tan tarde.
Estaba envolviendo tu regalo.

—¿No estás en el fondo de un agujero? —preguntó Sepo.

—No —dijo Sapo.

—¿No estás perdido en el bosque? —preguntó Sepo.

—No —dijo Sapo.

—¿No te ha comido un animal enorme? —preguntó Sepo.

—No —dijo Sapo—. Claro que no.

—¡Oh, Sapo! —dijo Sepo—, ¡me alegro tanto de pasar la Navidad contigo!

Sepo abrió su regalo.
Era un lindo reloj.
Los dos amigos se sentaron
junto al fuego.
Las manecillas del reloj se movieron
marcando las horas de
una alegre Nochebuena.